MARC RENIER
1991

JACKSON

MARC-RENIER
FRANK GIROUD

LES REVENANTS

EDITIONS DU LOMBARD
BRUXELLES — PARIS

D. 1991.0086.2569

ISBN.2.8036.0911.8
Imprimé en Belgique par Proost sprl

Dépôt légal: septembre 1991

Pour les pionniers suédois fondateurs de Rockdale, l'hiver interminable qui engourdissait le bourg pendant plus de six mois n'était pas une nouveauté.

Pour Jackson non plus.

Il en avait passé plus d'un dans l'Alberta ou la Saskatchewan, à poser des pièges dans des déserts de neige, et il s'était créé entre eux une complicité profonde. Il avait appris à connaître l'hiver, et l'hiver lui avait offert ses richesses.

Mais depuis qu'il avait abandonné la trappe, le bois-brûlé supportait plus difficilement ces mois de torpeur, et il attendait avec la même impatience que les autres le retour du bref été qui transformait Rockdale...
ROCKDALE
2 MILES

Comme s'il voulait se gaver de vie pour mieux supporter sa prochaine hibernation, le village frémissait d'agitation débridée, et les collines proches renvoyaient en écho le rire des enfants trop longtemps enfermés, le grondement des sabots et le cri des essieux, le juron des rouliers et la plainte des bêtes...

Cette vision, Jackson s'en était délecté tout au long de la route qui le ramenait du Colorado...
...Mais c'est un spectacle tout différent qui l'attendait !

?!

DILING-DING
DILING
DILING
GREEN
TREE
A.CARRIGAN
FRUIT & TOBACCO
FINE CANDIES
MARKET
WARD HOUGH CO.
GENERAL MERCHANDISE
THE BOSTON
MENS CLOTHING
FURNISHING
GOODS
LEON BROCK
PROP.
GENERAL STORE

DILING-DING
DILING

DILING
DILING

DILING
DILING-DING
NOÉMIE!!!

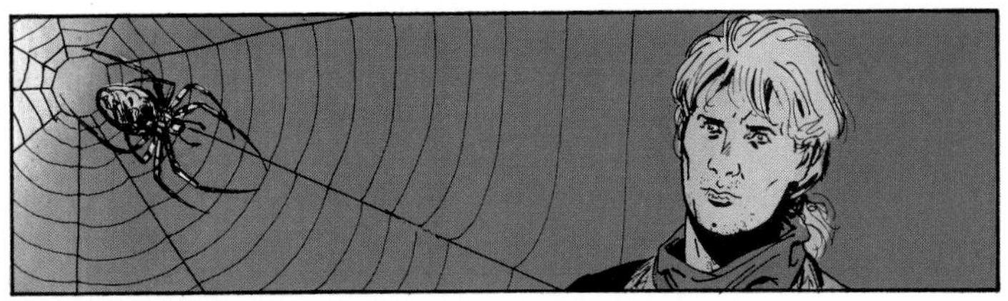

ce petit mot ... retour
avant ... ant, c'est
... surpri... en av...
sera sûrement désert. C'est
ouvert de l'or à Purple Creek...
tous sont partis tenter leur chance
... voulu t'attendre mais j'ai eu
de rester seule ... les prise ont
... de façon affolante et il ne me reste
... plus rien de l'argent que tu
... laissé. ... ai je suivi un couple de
Français partis pour Purple Creek
écrivain et ... de vo... une vraie ruée
... femme est ... enthousiaste et craint de
s'ennuyer un peu. C'est comme dame de com
pagnie que je l'accompagne. Les Castellane
c'est leur nom - sont agréables et mes gages gé
reuse. Mais dès que les premiers déçus revi
... je redescendrai avec elle.
... ton retour.
... t'aime.
Noémie

DU CALME, FISTON !

À PART LES RATS, PERSONNE VA TE MORDRE ICI...

PERSONNE ...

QU'EST-CE QUI S'EST PASSÉ ?
UN CRÉTIN QU'A DÉCOUVERT D'L'OR EN POSANT SES PIÈGES À PURPLE CREEK...

ET L'OR, MON GARS, ÇA S'RENIFLE DE LOIN... L'A PAS FALLU LONGTEMPS AVANT QU'TOUT L'MONTANA SOIT AU COURANT !

ET À PART KÈK VIEUX ET DEUX OU TROIS R'BUTS DANS MON GENRE, TOUS CES BUMPKINS S'SONT RUÉS LÀ-BAS !

BUTTER & EGGS
FRUIT'S
PRODUCE
MÊME EUX ?
SURTOUT EUX ! Y A RIEN LÀ-HAUT ALORS L'MOINDRE BARIL D'FARINE OU L'MOINDRE GALLON D'WHISKY VAUT UNE FORTUNE ! SPUT !

Y R'PASSENT SEUL'MENT D'TEMPS EN TEMPS POUR ALLER S'APPROVISIONNER À HELENA... ET AU R'TOUR, Y NOUS VENDENT JUSTE D'QUOI PAS MOURIR D'FAIM ET D'SOIF...

ET... NOÉMIE ?
4

TON INDIENNE? L'EST PARTIE AVEC UNE ESPÈCE DE PIED-TENDRE VENU DE L'EST, UN FRENCHIE, J'CROIS BIEN...

QUOI!!?
HEY?! CHILL OUT, MAN!!

L'SOLEIL DU SUD T'A ÉCHAUFFÉ LES SANGS, ON DIRAIT!... RASSURE-TOI, VA...

...Y AVAIT AUSSI SA FEMME AU FRENCHIE!

QU'EST-CE QU'ELLE EST ALLÉE FOUTRE LÀ-HAUT!? ELLE AURAIT PU M'ATTENDRE QUAND MÊME!

UN VILLAGE FANTÔME TOUT JUSTE HANTÉ PAR KÉK FOSSILES, C'TAIT PLUS UN ENDROIT POUR ELLE!
CET OR... ILS L'ONT TROUVÉ À QUELLE HAUTEUR, SUR LE CREEK?

À DEUX-TROIS MILES APRÈS L'SAUT DU LYNX, T'EN AS MÊME PAS POUR TROIS JOURS D'CHEVAL...

DÉSOLÉ, PILGRIM, MAIS... J'AI L'IMPRESSION QU'ON N'A PAS FINI DE COURIR TOUS LES DEUX!
5

QUAND LA CHASSE AUX FOURRURES L'AVAIT POUR LA PREMIÈRE FOIS MENÉ À PURPLE CREEK, JACK AVAIT DÉCOUVERT UN PAYSAGE CHAOTIQUE ET PERDU...

...DES GORGES LUGUBRES À L'ACCÈS DIFFICILE, OÙ SEULS SE RISQUAIENT QUELQUES COUREURS DES BOIS...

...SI BIEN QU'EN PARVENANT AU SAUT DU LYNX, LE BOIS-BRÛLÉ SE DEMANDA S'IL N'AVAIT PAS FAIT FAUSSE ROUTE !
?!

NOOOON !!!!

CRAPULE! FUMIER!! YOU GET STUUUFFED, BLOODY SWINE!
AAAAAH! ARRÊTEZ, BENSON!! NOOOON! NE...
DINING ROOMS 16 TO ONE
Tourists

?!

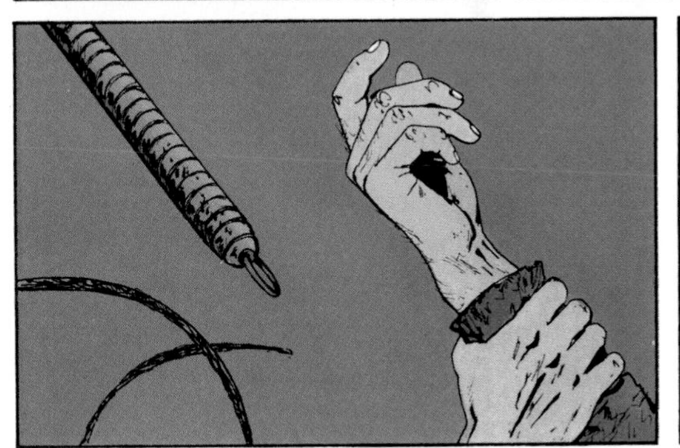

JOLI FOUET, J'AVAIS LE MÊME QUAND JE GARDAIS LES TROUPEAUX, AU MEXIQUE. UN OUTIL EFFICACE. CE QUI ME CHAGRINE, C'EST QUE...

...CE PAUVRE GARS NE RESSEMBLE PAS VRAIMENT À UN BOUVILLON!

DIS DONC, BOUSEUX... TU VEUX QU'ON TE RENVOIE DANS TON ÉTABLE AVEC LE CUL FARCI DE PLOMB?

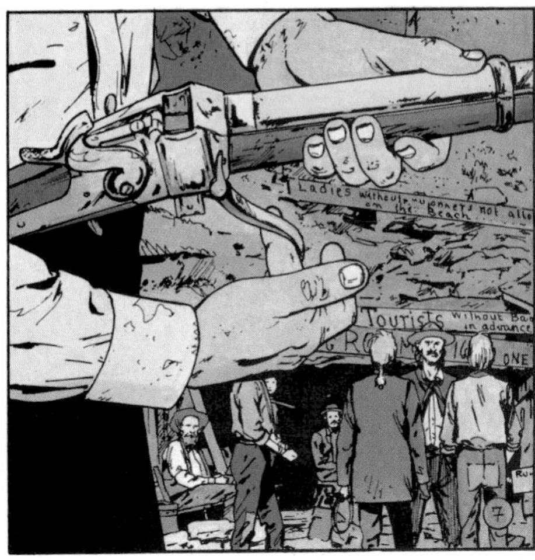
Tourists

TRANQUILLE, EMMET...

QUAND MONSIEUR SAURA QUE SON PROTÉGÉ-NOTRE VOISIN-A DÉPLACÉ EN CACHETTE LES LIMITES DE NOTRE CLAIM POUR REVENDIQUER UN PEU DE CET OR QU'IL EST INCAPABLE DE TROUVER TOUT SEUL... PEUT-ÊTRE SERA-T-IL MOINS INDULGENT?

Y A PAS DE SHERIFF POUR TRAITER CE GENRE DE PROBLÈME?
HUH! ILS ONT BIEN ENVOYÉ QUELQU'UN, MAIS... LE PAUVRE HOMME EST UN PEU... DÉBORDÉ!

DÉBORDÉ OU PAS, C'EST À LUI DE RÉGLER ÇA. ET PUIS... VU SON ÂGE ET SON ÉTAT, SI VOUS LUI TANNEZ LE CUIR TROP DUREMENT, IL VA Y RESTER!

POUR QUELQUES PIQUETS DÉPLACÉS C'EST UN PEU CHER PAYÉ, NON? ALLEZ! EN ROUTE!
HEY!? MINUTE, SUCKER!!

TU CROIS QUAND MÊME PAS QUE TU VAS NOUS IMPOSER TA LOI, NON!?
CE N'EST NI MON RÔLE NI LE VÔTRE D'IMPOSER UNE QUELCONQUE LOI, MONSIEUR! C'EST CELUI DU SHERIFF.
LAISSE TOMBER, CHARLEY... AVEC CE GENRE DE TYPE, Y A QU'UNE FAÇON DE DISCUTER...

...CELLE-LÀ!!!!
8

PAW

FRANCK!?? BLAST HIM!! CE BÂTARD LUI A BOUSILLÉ LA MAIN!! TIRE, MARTY! TIRE, BON DIEU!! DESCENDS-LE!!

VAS-Y, MON GROS! JE ME SUIS TOUJOURS DEMANDÉ SI LE PERCUTEUR D'UNE SHARPS JOUAIT PLUS VITE QUE CELUI D'UN NAVY.

SMITH?!? BENSON!!... QU'EST-CE QUI SE PASSE!??
C'EST LUI, SHERIFF! C'EST CE TYPE! IL A TIRÉ SUR FRANK!

TEQUILA A ESSAYÉ DE NOUS VOLER EN DÉPLAÇANT LES PIQUETS, ET CE GARS-LÀ EST VENU LE SOUTENIR!

TEQUILA! SCREW YOU!! JE M'EN DOUTAIS!!! C'EST ENCORE TOI QUI FLANQUES LA PAGAILLE, HEIN?! MAIS CETTE FOIS, T'Y COUPES PAS...

JE TE BOUCLE POUR DÉSORDRE SUR LA VOIE PUBLIQUE ET TENTATIVE DE VOL!!!

DANS CE CAS, MONSIEUR, IL FAUT AUSSI ARRÊTER CET HOMME... POUR TENTATIVE DE MEURTRE.

OK! OK! PERSONNE N'IRA AU TROU!...

QUANT À TOI, CHUCKLEHEAD ...

JE TE DONNE DEUX HEURES POUR QUITTER LA VALLÉE!!!

T'ENTENDS !??

DEUX HEURES!!
HÉ, TOI!!
10

AVANT DE METTRE LE NEZ DANS NOS AFFAIRES, T'AURAIS MIEUX FAIT DE TE RENSEIGNER SUR NOUS; ON EST LES FRÈRES BENSON, CRÉTIN!

ET ALORS ?
ALORS ON N'A PAS LA RÉPUTATION D'ÊTRE DES RIGOLOS, ET CE QUE TU VIENS DE FAIRE, ON N'EST PAS PRÈS DE L'AVALER...

TE BILE PAS, FISTON! CHUIS LÀ!
TOI, LE VIEUX, N'EN RAJOUTE PAS, À TA PLACE, J'ATTENDRAIS MÊME PAS DEUX HEURES POUR ME FAIRE OUBLIER!

T'EN FAIS PAS POUR MOI! D'TOUTE FAÇON, J'EN AVAIS ASSEZ D'CE CLAIM POURRI ET D'TOUS CES PÉQUENOTS!
MAIS AVANT D'FILER, J'AIM'RAIS QUAND MÊME SAVOIR À QUI J'DOIS D'AVOIR ENCOR'D'LA PEAU SUR L'DOS?
ON M'APPELLE JACKSON.

"TEQUILA" SMITH! SI J'PEUX FAIRE KÈK CHOSE POUR TOI?
PEUT-ÊTRE...

T'AS PAS ENTENDU PARLER D'UN FRANÇAIS QUI SE BALADERAIT DANS LE COIN AVEC DEUX FEMMES?
AAAH! CASTELLANE? POUR SÛR! FAUDRAIT ÊTRE AVEUGLE POUR PAS L'AVOIR R'MARQUÉ, CUI-LÀ!

PAS D'VEINE, FILS! À UN JOUR PRÈS, TU TOMBAIS D'SSUS; SONT PARTIS HIER POUR UNE PARTIE D'CHASSE...

TU SAIS OÙ?
BEN... Y Z'ONT PRIS LA DIRECTION DES BUTTES NOIRES, J'CROIS...

HÉ, JACKSON!
?!

EUH... ÉCOUTE... VU QUE... VU QU'ICI ON N'APPRÉCIE PLUS MA COMPAGNIE... QU'EST-CE QUE... KÈS TU DIRAIS D'LA SUPPORTER PENDANT KÈK MILES?
SI ÇA T'AMUSE...

YEEEHEEE!!! EN ROUTE, MES JOLIES! ON QUITTE CE TROU À BOUSEUX!
HÉÉ! FILS!!! ATTENDS-MOI!!! HOOO!!!! JACKSOOOON!!!
11

ET ALORS ?
DU CROTTIN FRAIS, ILS NE SONT PLUS TRÈS LOIN...

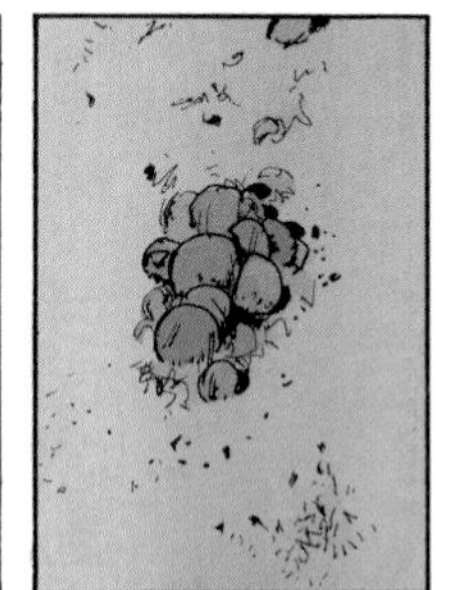

THOMAS AVAIT PROMIS DE REVENIR POUR LE REPAS... CE N'EST PAS DANS SES HABITUDES D'ÊTRE EN RETARD !

BAH ! LES TRACES L'AURONT MENÉ PLUS LOIN QUE PRÉVU... SI ÇA PEUT VOUS RASSURER, JE VAIS À SA RENCONTRE.

THOMAS ?
CRRRR
12

AAAAH
?!

AAAAH!
NOÉMIE !?!!

AAAAAH

NNN... NNOOON! !!!

POK
YAAAAH!
RÂÂÂH!
!

ÉCARTEZ-VOUS, NOÉMIE !!!!
WÔ-HOW! RÂÂÂH!!
PAW

RRRRRRR...

RRAAAWWW
RRRRR

RRRRWWW
?!
CLAC

BLAM
PA
PAW

JACK!

NOÉMIE! ...
JACK! ...

HEM! HEU... JACKSON! V-VIENS UN PEU PAR ICI ...
14

OH, SEIGNEUR ! C'EST... C'EST POUR MOI, QU'IL...

SANG DE BOIS !? LE VELU NE VOUS A PAS FAIT DE CADEAU, MMH ?
Ç-ÇA AURAIT PU ÊTRE PIRE, SI... SI VOUS AVIEZ TIRÉ... DIX SECONDES PLUS TARD ! JE... JE VOUS DOIS LA VIE, M-MONSIEUR... JACKSON, N'EST-CE PAS ?

BAH ! MOI, JE VOUS DOIS CELLE DE NOÉMIE... PAR ICI, VOUS SAVEZ, UN JOUR VOUS ÊTES DÉBITEUR, ET L'AUTRE CRÉANCIER... UNE VRAIE LOTERIE !
LE R'MUEZ PAS TROP, LES ENFANTS ! J'AMÈNE LA MULE...

PAR CONTRE, POUR AVOIR UNE CHANCE DE RESTER PARMI LES GAGNANTS, IL VAUT MIEUX POSSÉDER DES OUTILS FIABLES ! PAS UN TROMBLON QUI S'ENRAYE UNE FOIS SUR DEUX !
MAIS C'EST UN CHASSEPOT !?! À MENTANA, CONTRE LES CHEMISES ROUGES, IL A FAIT MERVEILLE !

ALORS C'EST QU'EN FACE, ILS AVAIENT DES ARBALÈTES ! PARCE QUE VOTRE ENGIN A BIEN VINGT ANS DE RETARD !

CROYEZ-MOI ! DANS LES ROCHEUSES, RIEN NE VAUT UN BON FUSIL À RÉPÉTITION... SPENCER, HENRY, WINCHESTER, PEU IMPORTE, MAIS... SÛREMENT PAS CETTE ESCOPETTE !

VOTRE CAMPEMENT EST LOIN ?
UN OU DEUX MILES...
VOUS TIENDREZ JUSQUE-LÀ ?
JE CROIS...

NE CHERCHEZ PAS À JOUER LES HÉROS ! SI VOUS FLANCHEZ, FAITES-MOI SIGNE... JE VOUS PRENDRAI EN CROUPE, OU ON VOUS BRICOLERA UN TRAVOIS...

PENDANT CE TEMPS, TU ME RACONTERAS CE QUE TU FICHAIS AU FOND DES BOIS ENTRE UN GRIZZLY ET UN CHASSEUR D'OPÉRETTE !
15

THOMAS CASTELLANE

VOUS AVEZ RAISON DE RIRE, JACKSON! LA SITUATION EN VAUT LA PEINE!

OUI! QUOI DE PLUS COCASSE! LE GRRAAAND CASTELLANE, L'AUTEUR ENVIÉ DE "LA FILLE DES PLAINES" ET DU "CONVOI PERDU", L'HOMME QUI, DANS LES SALONS PARISIENS, PASSE POUR LE MEILLEUR SPÉCIALISTE DE L'OUEST... DÉCHIQUETÉ LORS DE SA PREMIÈRE CHASSE À L'OURS!

C'EST LE MÉTIER QUI RENTRE, THOMAS! EN TOUT CAS, VOUS AVEZ BIEN FAIT DE VENIR VOIR VOUS-MÊME CE QUI SE PASSAIT CHEZ NOUS! VOTRE PROCHAIN ROMAN SERA PEUT-ÊTRE PLUS... RÉALISTE!
LA FILLE DES PLAINES
THOMAS CASTELLANE
C'EST VRAIMENT SI MAUVAIS?

EH BIEN... À VRAI DIRE, JE N'AI FEUILLETÉ QUE QUELQUES PAGES, MAIS...
OUI, JE SAIS! IL NE SUFFIT PAS DE LIRE PARKMAN OU FREMONT POUR CONNAÎTRE L'OUEST! ET IL Y A LONGTEMPS QUE J'AURAIS FRANCHI LE PAS, SI... SI J'AVAIS PU CONVAINCRE LUCILE PLUS TÔT!!

J'AURAIS MIEUX FAIT DE NE JAMAIS CÉDER, OUI! REGARDE OÙ ON EN EST!! COMME SI TES LECTEURS AVAIENT BESOIN DE RÉALISME! C'EST DU **RÊVE**, QU'ILS DEMANDENT! ET LE RÊVE, TU POUVAIS LEUR EN FOURNIR EN RESTANT RUE DU TEMPLE!!

AU LIEU DE ÇA, ON SE RETROUVE DANS UN PAYS DE SAUVAGES INFESTÉ DE BÊTES FÉROCES, À MILLE KILOMÈTRES DE LA PREMIÈRE BOUTIQUE, ET ENTOURÉS DE VAGABONDS QUI NE PARLENT PAS UN MOT DE FRANÇAIS!
HEUREUSEMENT QUE VOUS ÊTES LÀ, NOÉMIE... SINON... JE CROIS QUE JE DEVIENDRAIS FOLLE!...

EXCUSEZ-MOI DE VOUS L'AVOIR ENLEVÉE, MONSIEUR JACKSON, MAIS... C'ÉTAIT UNE TELLE AUBAINE DE TOMBER SUR UNE FRANCOPHONE!... JE NE POUVAIS DÉCEMMENT PAS PRENDRE UNE AUTRE DAME DE COMPAGNIE!

POUR MOI AUSSI, C'ÉTAIT UNE AUBAINE, TU SAIS!... AVEC LA RUÉE, LES PRIX ONT TELLEMENT GRIMPÉ, QU'EN UN MOIS, J'AI DÉPENSÉ TOUT CE QUE TU M'AVAIS LAISSÉ!

T'EN FAIS PAS, MON ALOUETTE! AVEC CE QUE JE RAMÈNE, FINIS LES MÉNAGES! FINIES LES LESSIVES! FINIE LA MISÈRE!
ET CES BILLETS-LÀ, J'AI MÊME DANS L'IDÉE QU'ILS VONT BIENTÔT FAIRE DES PETITS!
16

Après un arrêt à Purple Creek, où s'était installé le seul toubib du coin, Jack et ses compagnons avaient regagné Rockdale, doublant d'un coup la population du bourg déserté, auquel ils redonnèrent un éphémère semblant de vie.

Alors comm' ça, fils, tu veux ouvrir un relais? Où c'est-y qu't'as pêché c't'idée?...
Chez les trappeurs. Chez tous ceux qui vont poser leurs pièges dans la Kootenaï, et qui doivent contourner les Monts Lewis sur plus de cent vingt miles.
Cent vingt miles!?

Eh oui! Sûr qu'ça fait un sacré détour! Mais ça vaut mieux que d'se faire coincer là-haut en plein hiver!
Yeap! Par l'sud, la route est plus longue, mais plus facile. Pis surtout, y peuvent ravitailler à Kallispel ou à Rockdale!
ROOMS

Oui! Mais imagine qu'ils trouvent tout le nécessaire en plein coeur des Monts Lewis! Des vivres! De la poudre! De la gnôle! De quoi les loger en cas de trop sale temps...

Pas bête... Surtout si t'entretiens un peu le passage... Et t'as déjà repéré un endroit pour planter ta cabane?
Peut-être... Tu connais la Passe du Fou?

QUOI?!
17

SANS VOULOIR VOUS OFFENSER MONSIEUR, JE... JE N'AI PAS ÉTÉ ENGAGÉ POUR FAIRE LE BÛCHERON !

BAH ! CELA VOUS FERA LE PLUS GRAND BIEN ! REGARDEZ-VOUS, MON GARÇON ! VOUS ÊTES PÂLE COMME UN DÉTERRÉ !

POUR GAGNER L'HIVER DE VITESSE, JACKSON DIVISA SES TROUPES. ALORS QUE LES HOMMES VALIDES ENTAMAIENT LES PREMIERS TRAVAUX...
CRAAAAAC

... LE VIEUX BURNETT ET NOÉMIE PARTIRENT POUR HELENA.
mann Treber LIQUOR DEALERS
St Louis Lager Beer
DENTIST
BANK
STEBBINS POST & CO
MARKET
PRINTING
TIMES

PARK & PENN REMEDIES

HANG IT! ON Y A LAISSÉ NOT' DERNIER CENT, MAIS... NOUS V'LÀ PARÉS POUR LA SAISON, HEIN ?
HUE!
BANK

FANTASTIQUE! AH, JACKSON! VOUS AVEZ DEVANT VOUS UN HOMME HEUREUX!

JE SUIS EN TRAIN DE VIVRE LA CONSTRUCTION D'UN MONDE! DEPUIS QUE J'AI POSÉ LE PIED SUR CE CONTINENT, J'AI EMMAGASINÉ PLUS D'IMAGES ET PLUS DE SENSATIONS QU'EN VINGT ANS DE VIE PARISIENNE!

ICI, LE ROMANCIER N'A MÊME PLUS BESOIN D'IMAGINATION! IL LUI SUFFIT DE RETRANSCRIRE CE QU'IL VOIT! TOUT Y EST... LA SOLIDARITÉ ENTRE LES HOMMES DE LA FORÊT, LA PEUR, LA SOLITUDE, LA FOLIE DE L'OR, LES PIÈGES DE LA NATURE!

ET LES INDIENS!? VOUS PENSEZ QUE NOUS AURONS LA CHANCE DE VOIR LES INDIENS ??
LA CHANCE, JE NE SAIS PAS, L'OCCASION, SÛREMENT...
19

LES PREMIERS FLOCONS TOMBÈRENT LE DEUX OCTOBRE. HUIT JOURS AVANT, LES DERNIERS CLOUS AVAIENT ÉTÉ PLANTÉS, LE "RELAIS DU FOU" ÉTAIT PRÊT À DÉFIER L'HIVER.

LES LOCATAIRES PRÉCÉDENTS SONT ENCORE SANS MÉFIANCE ; DANS QUELQUES SEMAINES, ILS NOUS FERONT COURIR PLUS LOIN !

SANG DE BOIS ! ?
?!

JACK !!

20

HEM... SALUT!
SALUT.

HÉ! ON DIRAIT QUE... C'EST MON LAPIN, QUE TU AS LÀ, NON ?

LES BLACKFEET SONT DANS CES MONTAGNES DEPUIS QUE LES LAPINS EXISTENT. LES BLANCS DES GRANDES HUTTES Y SONT DEPUIS TROIS LUNES. POURQUOI LES LAPINS APPARTIENDRAIENT-ILS AUX BLANCS ?

CE LAPIN EST À MOI PARCE QUE C'EST MOI QUI AI POSÉ LE PIÈGE QUI A PRIS SA VIE. MAIS... TU EN AS PLUS BESOIN QUE MOI. ALORS PRENDS-LE.

ET PUIS... VIENS DANS MA GRANDE HUTTE! ON Y FERA CUIRE TON LAPIN ET TU POURRAS T'Y RÉCHAUFFER. JE TE DONNERAI AUSSI UN CADEAU : UNE COUVERTURE NEUVE ET BIEN MEILLEURE QUE CELLE-LÀ!

CÔTES D'AIGLE PEUT BAISSER SON ARME.
!

CÔTES D'AIGLE EST MON FILS. WASHAKIE EST MON NOM.

JACKSON EST LE MIEN. ET VOICI THOMAS, QUI VIENT DE L'AUTRE CÔTÉ DE LA GRANDE EAU DU LEVANT!
JE SOUHAITE QUE NOUS DEVENIONS AMIS, WASHAKIE.

RASSUREZ-MOI, JACKSON : SI VOUS NE LUI AVIEZ PAS DONNÉ CE LAPIN... L'AUTRE AURAIT VRAIMENT TIRÉ ?!?
QUI SAIT ? C'EST VOTRE RÔLE, D'IMAGINER CE QUI N'A PAS ÉTÉ... PAS LE MIEN.
21

CETTE HORRIBLE MIXTURE EST VRAIMENT EFFICACE ?

EFFICACE ET INDISPENSABLE. AVEC UN PIÈGE NON PRÉPARÉ, L'ANIMAL RENIFLERA L'ODEUR DE L'HOMME ET SE TIENDRA À DISTANCE. AVEC LA GRAISSE DE CASTOR, IL APPROCHERA SANS MÉFIANCE.

TU CROIS QU'UN JOUR, TU RÉUSSIRAS À TE POSER, MON GOÉLAND ?

MAIS C'EST FAIT, NOÉMIE ! C'EST FAIT DEPUIS LE JOUR OÙ JE T'AI RENCONTRÉE... AUJOURD'HUI, CE N'EST PAS UN VRAI DÉPART, TU LE SAIS BIEN.

DANS DIX JOURS AU PLUS, TU NOUS AURAS DE NOUVEAU DANS LES JAMBES ! JUSTE LE TEMPS DE DONNER À THOMAS UN APERÇU DE LA VIE DE TRAPPEUR !
CROYEZ-MOI L'AFFAIRE NE TRAÎNERA PAS ; JE ME SENS DÉJÀ L'ÂME D'UN COUREUR DES BOIS !

EH BIEN, NOUS ALLONS VOIR SI VOUS EN AVEZ L'ÉTOFFE !

CE JOUR-LÀ, L'OPTIMISME ET LA BONNE HUMEUR ANIMAIENT LES QUATRE HOMMES QUI QUITTÈRENT LE RELAIS DU FOU. POURTANT, DANS LE COEUR DE NOÉMIE, CETTE GAIETÉ N'ÉVEILLA AUCUN ÉCHO. PLUS TARD, ELLE PARLA MÊME D'UN PRESSENTIMENT. MAIS EN VÉRITÉ, QUI AURAIT PU DEVINER LES CONSÉQUENCES INCALCULABLES DE CETTE ANODINE PARTIE DE CHASSE ?
22

REGARDEZ!!
23

EH BIEN? CE SONT DES TRACES DE RENARD, N'EST-CE PAS?
VOUS FAITES DES PROGRÈS REMARQUABLES, THOMAS! C'EST BIEN UN RENARD... QUI REVIENT D'AILLEURS DU MARCHÉ!

ET ALORS? C'EST UN GIBIER PLUTÔT FALOT, À CÔTÉ DE L'ORIGNAL QUI NOUS FAIT COURIR DEPUIS DEUX JOURS!

SI C'EST UN VULGAIRE RENARD ROUGE, SANS AUCUN DOUTE! SA PEAU NE VAUT PAS PLUS DE DIX DOLLARS, MAIS...

...SI C'EST UN NOIR, IL EN VAUT DÉJÀ CINQUANTE... OU MÊME PLUS, S'IL EST CROISÉ. ET SI NOUS AVONS LA CHANCE D'ÊTRE TOMBÉS SUR UN GRIS-ARGENT, ALORS... IL PEUT NOUS EN RAPPORTER PLUS DE QUATRE CENTS!
BON DIEU! ET... IL N'Y A AUCUN MOYEN D'ÊTRE FIXÉ?

PAS AVANT DE L'AVOIR REJOINT. NOUS POUVONS PERDRE VOTRE CERVIDÉ POUR UNE SIMPLE FOURRURE À DIX DOLLARS...
À VOUS DE DÉCIDER... C'EST VOUS QUI PAYEZ, APRÈS TOUT!

DIABLE, J'AURAIS BIEN AIMÉ APPROCHER UN ÉLAN, MAIS... D'AUTRE PART... SI C'EST VRAIMENT UN ARGENTÉ, JE POURRAI... JE POURRAI FAIRE TANNER LA PEAU PAR WASHAKIE ET L'OFFRIR À LUCILE... OUI, JE...

CRÉNOM, JACKSON! SOYONS JOUEURS! VA POUR LE RENARD!!
ALORS, EN ROUTE!

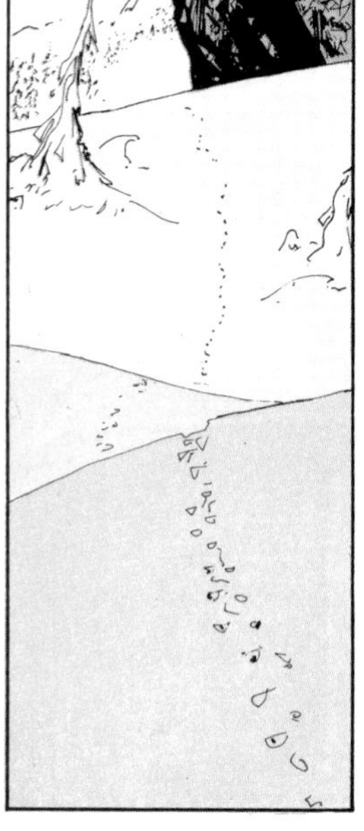

SANG DE BOIS! CETTE SACRÉE BESTIOLE NOUS AURA COÛTÉ DIX FOIS PLUS DE SUEUR QUE VOTRE ORIGNAL!

DIS DONC, CÔTES D'AIGLE... TU SAIS OÙ ON EST, ICI?
LES BLACKFEET APPELLENT CET ENDROIT LA "MONTAGNE TRISTE", MAIS AUCUN BRAVE N'Y EST JAMAIS VENU: LES ANCIENS DISENT QU'ELLE EST HABITÉE PAR LES ESPRITS MAUVAIS.
HEY!? QU'EST-CE QUE...??
24

LÀ-BAS! PRÈS DU LAC GELÉ!
...ON DIRAIT UNE CABANE?

CHAPEAU, VIEUX CRABE! T'AS ENCORE DE BONS YEUX!

CE QUI ME CHIFFONNE, C'EST QU'ON N'A JAMAIS VU UN BLANC SE RISQUER AUSSI LOIN DANS LES MONTS LEWIS... ET COMME LES BLACKFEET ÉVITENT AUSSI LE COIN...

...FAUT CROIRE QUE C'EST UN FANTÔME QUI A ASSEMBLÉ CES RONDINS!
PLAISANTE PAS AVEC ÇA, FILS!

EN TOUT CAS, FANTÔME OU PAS, LE LOCATAIRE NE S'EST PAS INSTALLÉ D'HIER! CE TAS DE PLANCHES DATE AU MOINS DU NÉOLITHIQUE!

ELLE... ELLE EST FERMÉE ?!?
M'ÉTONNERAIT... MAIS QUELQUE CHOSE DOIT BLOQUER...

HUMF!
CRAAAK

25

HOLY GHOST !!!?!

SEIGNEUR! QUEL REMUGLE, LÀ-DEDANS!
DAME! NOTRE AMI NE DOIT PLUS ÊTRE TRÈS REGARDANT CÔTÉ MÉNAGE!

BEUH... EUH!!
TEUH! TEUH!

TEUH! TEUH!

JACK! VENEZ VOIR...
UN LOQUET! LA PORTE ÉTAIT BEL ET BIEN FERMÉE DE L'INTÉRIEUR!

ET LUI? QU'EST-CE QUI L'A ENVOYÉ CHEZ LES FANTÔMES? LA FAIM? LE FROID?
NI L'UN NI L'AUTRE...

REGARDEZ CETTE CÔTE CASSÉE... ET CE TROU DANS L'OMOPLATE...

UNE... UNE BALLE ?!?!
SÛREMENT PAS UNE MITE!
...

DÉCIDÉMENT! VOUS NOUS AVEZ TROUVÉ UN REFUGE DES PLUS SYMPATHIQUES, MISTER SMITH!
SI J'AVAIS SU, JE...
OH! REGARDEZ!!
26

UNE BOÎTE À MOTS!

UNE BOÎTE À MOTS ?!!
UN LIVRE! OU PEUT-ÊTRE... AVEC UN PEU DE CHANCE...

C'EST ÇA! UN JOURNAL! PROBABLEMENT CELUI DE NOTRE HÔTE... TOUT JUSTE! "CHRONIQUE DE NOTRE PÉRIPLE AU-DELÀ DU WINNIPEG, PAR...

...LOUIS BUTLER !!?!

L'EXPÉDITION BUTLER ...
EH BIEN?! QU'EST-CE QU'IL Y A??? QUI EST CE BUTLER? VOUS AVEZ DÉJÀ ENTENDU PARLER DE LUI??

JACK !?!

MMH? OUI... OUI, J'AI... J'AI CHASSÉ AVEC UN TRAPPEUR QUI VIVAIT À QUÉBEC, À L'ÉPOQUE OÙ BUTLER A...

C'EST... C'EST UNE HISTOIRE QUI REMONTE À PAS MAL DE TEMPS...
27

EN FAIT, POUR COMPRENDRE, IL FAUT MÊME REMONTER AU DÉBUT DU DIX-SEPTIÈME SIÈCLE...
r 1623

...LORSQUE VICTOR DE MONTBRISAC, UN COMPAGNON DE CHAMPLAIN, INTRIGUÉ PAR LES BIJOUX EN OR PORTÉS PAR CERTAINS HURONS, SE MIT EN TÊTE DE DÉCOUVRIR LEUR ORIGINE.

À FORCE D'INTERROGER LES ANCIENS, IL APPRIT QU'IL S'AGISSAIT DE PRISES DE GUERRE EFFECTUÉES AUX DÉPENS D'UNE MYSTÉRIEUSE TRIBU, LES KOTSOKAS, DONT LA VILLE TROGLODYTIQUE, KOHINGA, SE SERAIT TROUVÉE QUELQUE PART DANS LES MONTS DU HASARD, UNE RÉGION INACCESSIBLE BIEN À L'OUEST DU LAC WINNIPEG...

DÉSIREUX D'ALLER VÉRIFIER CES DIRES, MONTBRISAC RASSEMBLA TOUS LES ÉLÉMENTS NÉCESSAIRES À UN VOYAGE D'EXPLORATION, MAIS AU COURS D'UNE ATTAQUE ANGLAISE, IL FUT CAPTURÉ ET TRAÎNÉ À LONDRES, OÙ IL MOURUT AVANT D'AVOIR PU RÉALISER SON RÊVE.

PENDANT DEUX SIÈCLES, PLUS PERSONNE NE PARLA DE KOHINGA... JUSQU'À CE QUE LOUIS BUTLER, UN HAUT-FONCTIONNAIRE EN POSTE À QUÉBEC, REMÎT LA MAIN SUR LES NOTES DE MONTBRISAC.

BUTLER FIT DES RECOUPEMENTS AVEC D'AUTRES SOURCES - NOTAMMENT LES RAPPORTS RÉDIGÉS PAR MACKENZIE APRÈS SON ÉPOPÉE DE 1793 - ET IL EN TIRA LA CONCLUSION QUE KOHINGA EXISTAIT BEL ET BIEN...

À SON TOUR, IL MIT SUR PIED UNE EXPÉDITION, QUI CETTE FOIS QUITTA EFFECTIVEMENT LA CÔTE EST... LE PROBLÈME, C'EST QUE... ELLE N'Y REVINT JAMAIS...

DISPARUE CORPS ET BIENS! EN VINGT-CINQ ANS, PERSONNE N'A RÉUSSI À SAVOIR CE QU'ÉTAIENT DEVENUS BUTLER ET LES SIENS...
PERSONNE JUSQU'À AUJOURD'HUI! CAR IL Y A GROS À PARIER QUE L'EXPÉDITION EST PASSÉE PAR ICI!!

BON SANG, JACKSON!! VOUS VOUS RENDEZ COMPTE!?!...
CE JOURNAL CONTIENT PEUT-ÊTRE LA CLEF D'UNE ÉNIGME **VIEILLE D'UN QUART DE SIÈCLE !!!**
28

MMOUAIS... EN ATTENDANT, IL Y A PLUS URGENT QUE DE DÉCHIFFRER CES VIEILLERIES. LA NUIT TOMBE, ET IL VA FALLOIR NOUS ORGANISER POUR LA PASSER AU MIEUX.
QUOI !??

TU... TU VEUX NOUS FAIRE DORMIR ICI !?? AVEC LUI ?!?? T'ES CINGLÉ !!?

POURQUOI ? JE NE SAIS PAS CE QU'IL A PU FAIRE AVANT, MAIS CE QUI EST SÛR, C'EST QUE MAINTENANT, IL EST PLUS INOFFENSIF QU'UNE POUPÉE DE SON !
NE ME FAITES PAS CROIRE QU'UN HOMME QUI A DESCENDU LA YELLOWSTONE, CHASSÉ LE GRIZZLY ET COMBATTU LES CHEYENNES VA SE LAISSER EFFRAYER PAR QUELQUES OSSEMENTS VIEUX DE VINGT ANS !
EFFRAYÉ, MOI !? HA ! SÛREMENT PAS ! MAIS JE... HEU...
OH, ET PUIS ALLEZ AU DIABLE !

EH BIEN, MESSIEURS, MALGRÉ LES CRAINTES DE NOTRE AMI TEQUILA, JE CROIS QUE NOUS ALLONS PASSER ICI LA MEILLEURE NUIT DEPUIS NOTRE DÉPART !
BONNE NUIT...
MMOUAIS... À D'MAIN...

?!

JACKSON ?
OU... OUI ! MAIS... QU'EST-CE QUE...
QUI ÊTES-VOUS ?!??
29

CHHHT! SUIS-MOI...

OÙ M'EMMENEZ-VOUS ?
MAIS... À KOHINGA, BIEN SÛR!

À... À KOHINGA!? QU'EST-CE QUE C'EST QUE CETTE PLAISANTERIE!?! QUI ÊTES-VOUS, À LA FIN ?!!?
TU NE M'AS PAS RECONNU, JACKSON? VIENS, APPROCHE...

REGARDE... REGARDE-MOI BIEN...

AAAAAAAAAAAAAAAHHHH!!!

DAMN IT!!? QUE... QUI A CRIÉ ??!
HUH !??
...

JACKSON!?, QU'EST-CE QUI S'EST PASSÉ?
RIEN... RIEN! UN STUPIDE CAUCHEMAR... EXCUSEZ-MOI...

WHAT A SHAMBLES!! AH, TU POUVAIS T'FOUT DE MOI, TIENS! T'ES PAS PLUS FLAMBARD, À C'QUE J'VOIS!
ÇA N'A RIEN À VOIR...

MAIS AU FAIT... VOUS NE DORMIEZ PAS, CASTELLANE?
30

PARDONNEZ-MOI, MAIS... JE N'AI PAS EU LA PATIENCE D'ATTENDRE DEMAIN !

ALORS ?
ALORS C'EST BIEN LE COMPTE-RENDU DE L'EXPÉDITION, AU JOUR LE JOUR ! ! UNE HISTOIRE INCROYABLE ! **FANTASTIQUE !** JE...

OUAIS ! BEN MOI, C'QUE J'TROUVERAIS FANTASTIQUE, C'EST QU'VOUS ATTENDIEZ D'MAIN POUR NOUS LA RACONTER !

OH, DÉSOLÉ ! JE ME LAISSE UN PEU EMPORTER ! MAIS... VOUS VERREZ QU'IL Y A DE QUOI ! ALLEZ ! CETTE FOIS... BONNE NUIT !

KRÂÂÂK

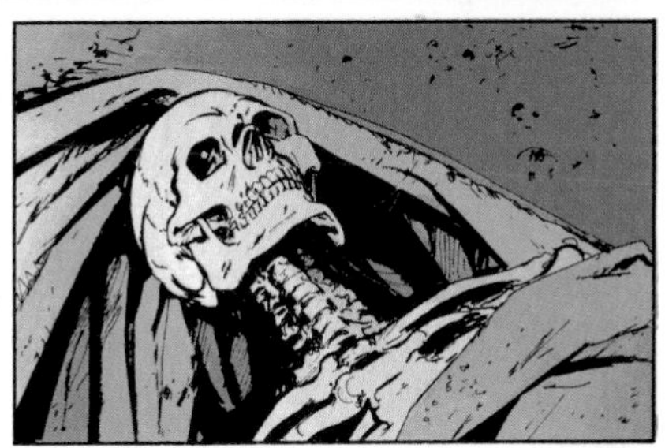

ALORS, MONSIEUR L'ÉCRIVAIN ? CETTE HISTOIRE ?
AH, NE ME DONNEZ PLUS CE TITRE, MONSIEUR SMITH ! QUAND LA RÉALITÉ VA SI LOIN, L'HOMME DE FICTION SE SENT L'ESPRIT BIEN PAUVRE !
MERCI !

ELLE EST DONC SI EXTRAORDINAIRE QUE ÇA, L'AVENTURE DE C' BUTLER ?
EXTRAORDINAIRE... OUI, C'EST LE MOT... EXTRAORDINAIRE ET... **ATROCE** !

POURTANT, BUTLER N'AVAIT RIEN NÉGLIGÉ ...

IL AVAIT MÊME FAIT RECHERCHER LE PLUS JEUNE COMPAGNON DE MACKENZIE; UN INDIEN CREE NOMMÉ SASKAH, DONT L'ÂGE AVANCÉ N'AVAIT PAS ALTÉRÉ LA MÉMOIRE.

SASKAH AVAIT ÉTÉ RETROUVÉ GRÂCE AU CAPITAINE MELVIN DOUCETTE, LUI-MÊME FILS DE FRANÇOIS DOUCETTE, UN DES GUIDES DE L'EXPLORATEUR ÉCOSSAIS. L'INDIEN ÉTAIT ACCOMPAGNÉ PAR UN COUREUR DES BOIS NOMMÉ BUCK WALLIS.

L'EXPÉDITION COMPRENAIT AUSSI JOAN - LA FEMME DE BUTLER - ET SES DEUX DOMESTIQUES - MINA ET TOBBY - ...

... AINSI QUE ROSS ET NEWMAN, DEUX ANCIENS SOLDATS CHARGÉS D'ASSURER LA PROTECTION DU GROUPE. EN TOUT, NEUF PERSONNES.

BUTLER QUITTA FORT-GARRY EN AVRIL 45.

LES DEUX CENTS PREMIERS MILES FURENT PARCOURUS SANS INCIDENT, MAIS UNE FOIS ARRIVÉS SUR LA SASKATCHEWAN...
32

...UN ACCROCHAGE AVEC LES BLACKFEET COÛTA LA VIE À NEWMAN.

PAR LA SUITE, ILS NE FURENT PLUS INQUIÉTÉS PAR LES INDIENS; MAIS PENDANT TROIS MOIS, ILS ERRÈRENT DANS LES MONTAGNES SANS TROUVER LE MOINDRE INDICE.

MALGRÉ LES SOUVENIRS DE SASKAH, LES NOTES DE MONTBRISAC ET LE TÉMOIGNAGE DE QUELQUES INDIENS INTERROGÉS, KOHINGA RESTAIT INTROUVABLE. AU SEIN DU GROUPE, L'AMBIANCE ÉTAIT DEVENUE EXÉCRABLE.

NÉGLIGÉE PAR UN MARI DE PLUS EN PLUS IRASCIBLE, JOAN BUTLER SE RAPPROCHA PEU À PEU DU BEAU MELVIN...

BUTLER S'EN APERÇUT ET LES DEUX HOMMES FAILLIRENT S'ENTRETUER.

DEUX JOURS PLUS TARD, LE CHEVAL DE MELVIN FIT UN ÉCART ET SON CAVALIER FUT PRÉCIPITÉ AU FOND D'UN RAVIN.

EN ALLANT RÉCUPÉRER LE CORPS, ROSS S'APERÇUT QUE LA SANGLE AVAIT ÉTÉ SCIÉE...
?!

DAMN!? ALORS... BUTLER L'AURAIT LIQUIDÉ!??
SÛREMENT PAS! IL N'EN AURAIT PAS FAIT MENTION DANS SON JOURNAL...
EN EFFET... MAIS DANS CE CAS, L'ACCIDENT EST ENCORE PLUS ÉTRANGE! CELA DIT, CE N'ÉTAIT JAMAIS QUE LA PREMIÈRE BIZARRERIE...
33

VERS LA FIN DE L'ÉTÉ, À BOUT DE PATIENCE ET D'ESPOIR, BUTLER ALLAIT REBROUSSER CHEMIN QUAND IL TOMBA ENFIN SUR LES KOTSOKAS. OU DU MOINS... QUAND LES KOTSOKAS LUI TOMBÈRENT DESSUS !

CONDUITS À KOHINGA, ILS DÉCOUVRIRENT QUE LA CITÉ LÉGENDAIRE N'AVAIT RIEN DE MIRIFIQUE, ET QUE, DE LA PUISSANTE TRIBU DÉCRITE PAR LES HURONS, IL NE RESTAIT PLUS QUE QUELQUES INDIENS SOUFFRETEUX...

QUANT À LA MINE D'OR, ELLE ÉTAIT ÉPUISÉE DEPUIS LONGTEMPS MAIS FAUTE D'ÉCHANGES AVEC L'EXTÉRIEUR, LES KOTSOKAS AVAIENT CONSERVÉ LA PLUPART DES OBJETS FABRIQUÉS PAR EUX DEPUIS DES SIÈCLES, ET IL Y AVAIT LÀ UNE FORTUNE CONSIDÉRABLE...

LES MAÎTRES DE KOHINGA N'EURENT PAS LE TEMPS DE STATUER SUR LE SORT DE LEURS PRISONNIERS ! WALLIS, ROSS ET SASKAH, PARTIS CHASSER AU MOMENT DE LA CAPTURE, PARVINRENT DÈS LA PREMIÈRE NUIT À DÉLIVRER LEURS COMPAGNONS, MAIS L'ÉVASION SE SOLDA PAR LA MORT DE ROSS.

LES KOTSOKAS ÉTAIENT À LEURS TROUSSES. POURTANT, AU LIEU DE FILER VERS L'EST, BUTLER ET LES SIENS TRACÈRENT UNE FAUSSE PISTE ET ENTAMÈRENT UN VASTE MOUVEMENT TOURNANT POUR REVENIR SUR LEURS PAS...

KOHINGA SE RETROUVANT PRIVÉE DE SES DÉFENSEURS, ILS S'EN EMPARÈRENT SANS COUP FÉRIR...

... ET, PROFITANT DE LA SURPRISE ET DE LA SUPÉRIORITÉ DE LEURS ARMES, ILS SE DÉBARRASSÈRENT SANS GRAND MAL DES GUERRIERS KOTSOKAS. SEULE MINA, LA DOMESTIQUE DE BUTLER, FUT BLESSÉE.
34

... ILS SE "DÉBARRASSERENT" DES KOTSOKAS !?? DASH IT ! VOUS VOULEZ DIRE QUE... QU'ILS LES ONT MASSACRÉS ?!?
BUTLER NE DONNE PAS DE DÉTAIL, MAIS... C'EST PROBABLE.

JE CROIS QUE DÈS CE MOMENT, LA FIÈVRE DE L'OR LES AVAIT DÉJÀ RENDUS FOUS...

BUTLER GARDAIT CEPENDANT ASSEZ DE BON SENS POUR NE PAS SURCHARGER LES BÊTES ! POUR CHAQUE SAC DE BIJOUX, IL EMPORTA UN SAC DE GRAINS AFIN DE NOURRIR LES CHEVAUX, CAR L'HIVER ARRIVAIT.

C'EST ICI QUE LA NEIGE LES SURPRIT ET QU'ILS DURENT BÂTIR LEURS DEUX CABANES POUR ATTENDRE LE PRINTEMPS !
LES DEUX CABANES ? MAIS...
TOUT ÇA DATE DE VINGT-CINQ ANS. IL Y A LONGTEMPS QUE DES ORAGES OU LES AVALANCHES ONT DÛ EMPORTER LA SECONDE !

L'HIVER FUT TERRIBLE. LA PLUPART DES BÊTES PÉRIRENT, MINA MOURUT DE FROID ET TOBBY SE NOYA "ACCIDENTELLEMENT" EN ALLANT CHERCHER DE L'EAU.

"DU DÉBUT À LA FIN, CETTE EXPÉDITION AURA ÉTÉ UN CAUCHEMAR. QUAND JE PENSE À TOUS CEUX QUI SONT TOMBÉS, JE FRISSONNE ET JE ME DEMANDE : À QUAND TON TOUR, LOUIS BUTLER ?"

APRÈS... IL N'Y A PLUS QUE DES PAGES BLANCHES !
EH, BEN !
KLAP

EN TOUT CAS, Y RESTE UN PAQUET D'QUESTIONS SANS RÉPONSE ! ET C'EST PAS LUI QUI NOUS EN DIRA PLUS...

D'AUTANT PLUS QUE CE N'EST PAS BUTLER.

?!
?!?
35

REGARDEZ LA FORME DU BASSIN... C'EST UNE FEMME!
T...T'ES SÛR??
IL Y A DES CHANCES...

MAIS ALORS... BUTLER?!... KÈSS IL EST DEV'NU??

ON NE LE SAURA JAMAIS, ET C'EST AUSSI BIEN, D'AILLEURS, ON A MIEUX À FAIRE QU'À S'OCCUPER DES FANTÔMES.

LE TEMPS SEMBLE SE MAINTENIR AU BEAU. LE COIN DOIT GROUILLER DE PELUS!
QUOI?!

VOUS VOUDRIEZ RETOURNER À VOS PIÈGES ALORS QU'UN HASARD EXTRAORDINAIRE VIENT DE NOUS PLACER SUR LA PISTE D'UNE CITÉ DE LÉGENDE!??

D'ABORD, RIEN NE PROUVE QUE NOUS SOYONS SUR LA PISTE DE KOHINGA. ENSUITE, C'EST UNE HISTOIRE VIEILLE DE VINGT-CINQ ANS! COMMENT VOULEZ-VOUS RETROUVER LA MOINDRE TRACE!?
MAIS GRÂCE À ÇA! BUTLER Y A NOTÉ CHAQUE DÉTAIL DE LA ROUTE SUIVIE!

VOICI CE QUE NOUS ALLONS FAIRE, JACK! PENDANT QUE VOUS ÉTUDIEREZ CES NOTES, MOI, JE VAIS REGAGNER BOSTON...
LÀ, JE ME FERAI ENVOYER L'ARGENT NÉCESSAIRE, PUIS J'ACHÈTERAI L'ÉQUIPEMENT VOULU...
ET DÈS LA FONTE DES NEIGES, NOUS NOUS LANCERONS SUR LA PISTE DE KOHINGA!

VOUS ÊTES FOU, CASTELLANE, VOUS VENEZ VOUS-MÊME D'ÉGRENER LE CHAPELET D'ATROCITÉS QUI A ÉMAILLÉ CE VOYAGE, ET VOUS VOUDRIEZ REMETTRE ÇA!?
EN TOUT CAS, NE COMPTEZ PAS SUR MOI!
J'AVOUE QUE VOUS ME DÉCEVEZ, JACK... JE VOUS CROYAIS PLUS... ENTREPRENANT!

ENFIN, JACKSON! C'EST TOUT DE MÊME PLUS PASSIONNANT QUE DE TRAQUER LE RENARD!? ET PUIS... JE SUIS PRÊT À LOUER VOS SERVICES POUR UNE SOMME TRÈS CONVENABLE!
LES CHOSES NE SE RAMÈNENT PAS TOUJOURS À UNE POIGNÉE DE DOLLARS...

BAH! IL EST VRAI QUE TOUT CELA EST UN PEU PRÉCIPITÉ! MAIS... EN SIX MOIS, VOUS AUREZ LE TEMPS DE RÉFLÉCHIR. ET D'ICI LÀ... JE SUIS SÛR QUE VOUS AUREZ CHANGÉ D'AVIS!
36

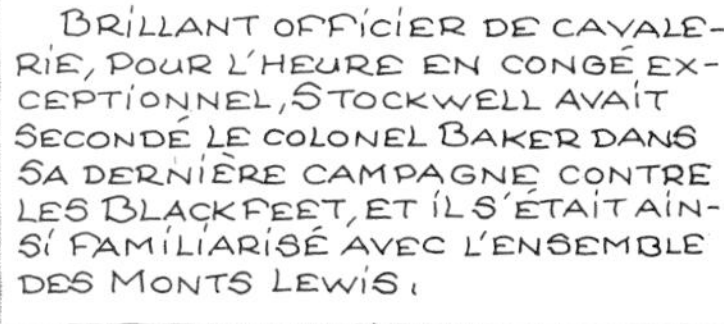

J'AURAIS PRÉFÉRÉ JACKSON, MAIS... ON M'A DIT BEAUCOUP DE BIEN DE LUI... QU'EN PENSEZ-VOUS, MONSIEUR SMITH ?

MMH... ÇA DOIT FAIRE TRENTE ANS QU'ON S'PRATIQUE, LUI ET MOI...

UN FOUTU CARACTÈRE, UNE ODEUR À FAIRE CAPITULER UN BATAILLON DE SKUNKS°, MAIS... VOUS TROUV'REZ PAS MEILLEUR PISTEUR D'WINNIPEG À SEATTLE !

POUR ASSURER LA PROTECTION DU GROUPE, IL Y AVAIT ENFIN BARRY COLFAX...

° SKUNK : PUTOIS

IL FAUDRAIT SAVOIR CE QUE TU VEUX ! L'AN DERNIER, TU PLEURAIS POUR ME RETENIR ICI !
L'AN DERNIER, JE NE SAVAIS PAS QUE J'ALLAIS PASSER L'HIVER LE PLUS ABOMINABLE DE MA VIE ! À COMPTER LES FLOCONS EN COMPAGNIE DES CHATS-HUANTS ET DES LOUPS ÉGARÉS, EN ATTENDANT DES CLIENTS FANTÔMES !

N'EXAGÉRONS RIEN ! ON A QUAND MÊME VU DU MONDE !
DU MONDE !? HUIT CHASSEURS EN SIX MOIS ? C'EST CE QUE TU APPELLES DU MONDE !??

PATIENTE UN PEU ! LAISSE LEUR LE TEMPS DE PARLER DE NOUS, EN BAS...
PATIENTER ? JUSQU'À QUAND !? J'EN AI ASSEZ D'ATTENDRE ! ASSEZ, DE GÂCHER MON TEMPS ENTRE UN IVROGNE, UN INFIRME ET DEUX PARASITES !...

JE VEUX VIVRE, TU M'ENTENDS ? VIVRE !

OH, JACK ! DIEU SAIT SI J'AI EU PEUR DE TES ESCAPADES. SI J'AI SOUFFERT DE NE PAS T'ACCOMPAGNER ! ET MAINTENANT... POUR UNE FOIS QUE JE LE PEUX ET QUE J'EN AI ENVIE... MAINTENANT... C'EST TOI QUI NE VEUX PLUS PARTIR !

MAIS SANG DE BOIS, LES BLACKFEET SONT EN PLEINE INSURRECTION !! QUOI QU'EN DISE THOMAS, CETTE ÉQUIPÉE N'A RIEN D'UNE BALADE D'AGRÉMENT !
IL N'Y A QU'À EMMENER CÔTES D'AIGLE !
JE RESPECTE VOTRE PRUDENCE, JACKSON, MAIS...

...QUAND NOUS AVONS DÉCOUVERT LA CABANE, LES INDIENS SE TENAIENT TRANQUILLES. ET MALGRÉ TOUT, VOTRE REFUS ÉTAIT AUSSI FERME QU'AUJOURD'HUI. ALORS ? QUELLE EST VOTRE VÉRITABLE RAISON ?

TIENS... V'LÀ D'LA VISITE...

AH ! ALORS !? QUI A DIT QUE LE RELAIS DU FOU N'ATTIRAIT QUE DES...

LOUPS, ÉGARÉS ...
38

DIS DONC, EMMET... CE FENDEUR DE BÛCHES S'RAIT PAS JACKSON, PAR HASARD ?

HÉÉÉ !! TOUT JUSTE, CHARLEY ! ET REGARDEZ QUI EST LÀ, AUSSI ! CE BRAVE TEQUILA !

ALORS COMME ÇA, C'EST PAS DES HISTOIRES, C'QU'ON RACONTE DANS LA VALLÉE ? TE V'LÀ BEL ET BIEN D'VENU AUBERGISTE, HEIN ?

REMARQUE, T'AS CHOISI UN JOLI COIN... UN PEU ISOLÉ, PEUT-ÊTRE...
OUAIP ! LES NOUVELLES DOIVENT METT' DU TEMPS À Y'NIR ICI ! Z'ONT PAS L'AIR D'AVOIR ENTENDU PARLER DU SOULÈV'MENT INDIEN, PAR EXEMPLE...

... C'EST SÛR'MENT POUR ÇA QU'Y S'BALADENT TOUT NUS !
DOMMAGE... ON SAURA PAS SI NOTRE AMI TIRE TOUJOURS AUSSI VITE... DÉPUIS QU'IL A TROQUÉ SON COLT CONTRE UNE ÉCUMOIRE !

ET TOI, FRANKIE ? CE RHUMATISME À LA MAIN ?

J'AI MIS SIX MOIS À TOUT RÉAPPRENDRE, SUCKER ! MAIS LE RÉSULTAT EN VALAIT LA PEINE, D'AILLEURS... TU VAS POUVOIR JUGER !

ÇA T'ENNUIE, SI JE PARTICIPE AU JURY ?
?!
39

COLFAX ?!
SALUT, BENSON... TOUJOURS AUSSI NERVEUX, MMMH ?

BOUGE PAS, PETIT FRÈRE !... J'AI DÉJÀ VU CE TYPE À L'OEUVRE... ET MÊME SI UN MIRACLE ARRÊTAIT SES BALLES...
...IL NE DÉVIERAIT SÛREMENT PAS CELLES QUI NOUS ATTENDENT DERRIÈRE...
?!

HEY !? CHILL OUT, MEN !! ON N'EST PAS ICI POUR FAIRE DES HISTOIRES !! ON VEUT JUSTE UN BOL DE SOUPE ET UN LIT POUR LA NUIT !
TROP RISQUÉ : L'UN DE NOUS FERAIT DES CAUCHEMARS...

J'AI ENCORE LES MOYENS DE CHOISIR MES CLIENTS, CHARLEY ! ALORS TU VAS FAIRE DEMI-TOUR, EMMENER TA FINE ÉQUIPE, ET DISPARAÎTRE DANS LE PAYSAGE ! OK ?

HANG IT ! ON VA QUAND MÊME PAS ...
LAISSE TOMBER, EMMET ! ET RASSURE-TOI... ON N'EN A PAS FINI AVEC CES BUMPKINS !

40

TERMINUS !
HEIN ! ? SI PRÈS DU RELAIS ? ? TU VEUX LES SURPRENDRE PENDANT LA NUIT ?

ON A MIEUX À FAIRE QUE D'CORRIGER UN IVROGNE ET SON CHIEN D' GARDE !

FAUDRAIT APPRENDRE À FAIRE FONCTIONNER VOS MIRETTES, ET C'QUI VOUS SERT D'CERVEAU, LES GARS ! J' PARIE QU'AUCUN D' VOUS A R'MARQUÉ C'QUE TRANSPORTAIENT LES DEUX MULES ATTACHÉES AU CORRAL, MMMH ?

BEN... DU MATÉRIEL DE PROSPECTION ! ET ALORS ?
PROBABLE QU'ILS VONT RETOURNER À PURPLE CREEK...
AU MOMENT OÙ L' FILON S'ÉPUISE ? M'ÉTONNERAIT ! ET DANS CE CAS... L' FRENCHIE AURAIT PAS BESOIN D'UN SEXTANT !

UN SEXTANT ?
HEY ! ? LE... LE MACHIN QU'IL AVAIT DANS LES MAINS ! C'EST ÇA ?
C'EST ÇA, FRÉROT ! ET TU SAIS À QUOI ÇA SERT, CE "MACHIN" ? À R'PÉRER UNE POSITION TRACÉE SUR UNE CARTE...

BLAST IT ! ? ALORS... TU CROIS QUE...
QUE QUELQU'UN LEUR A INDIQUÉ UN AUT' COIN, ET QU'ILS S'APPRÊTENT À ALLER L'EXPLOITER SANS PRÉVENIR LES COPAINS !

ET SI DES GARS QUI S'PAIENT LE LUXE D' PASSER À PURPLE CREEK EN SIMPLES TOURISTES S'DÉCIDENT ENFIN À MOUILLER LEUR CHEMISE... C'EST QU'LE FILON DOIT EN VALOIR SACRÉMENT LA PEINE !
41

TOUT EST PRÊT ?
À PART VOUS...

TÊTU, HEIN ? VOUS PARTEZ DEMAIN ?
À L'AUBE.

EH BIEN, B...
JACK ! VIENS VITE !!

WASHAKIE ?!? QU'EST-CE QUI S'EST PASSÉ !?
UN ÉBOULIS ! CÔTES D'AIGLE EST ENCORE LÀ-BAS !

GRAVE ?
JAMBE CASSÉE. MAIS IL EST BLOQUÉ À DEUX JOURS D'ICI...

LE G... GOULET ! HH ! GOULET D-DU VIEUX CERF ! HH ! MAUVAIS !... HH ! LES CHEVAUX !... ILS... ILS NE...

IMPOSSIBLE D'Y ALLER À CHEVAL. LE COIN EST TROP ESCARPÉ.
ALORS ON N'A PAS UNE MINUTE À PERDRE !

À NOTRE RETOUR, VOUS SEREZ PARTIS... JE CONTINUE À PENSER QUE CETTE ÉQUIPÉE EST UNE FOLIE, CASTELLANE. MAIS... PUISQUE RIEN NE PEUT VOUS EN DÉTOURNER ... BONNE CHANCE !
MERCI... À VOUS AUSSI, JACK !

ETÉ COMME HIVER, DANS LES MONTS LEWIS COMME AILLEURS, LA MONTAGNE EST TOUJOURS UN ENNEMI POTENTIEL...

JACK ET TEQUILA LE SAVAIENT, ET POUR REJOINDRE L'INDIEN, ILS GRAVIRENT LES ÉBOULIS AVEC D'INFINIES PRÉCAUTIONS...

... DONT ILS REDOUBLÈRENT PENDANT LA DESCENTE.

PASSÉ LA ZONE D'AVALANCHE, LE TRANSPORT S'AVÉRA PLUS FACILE. ASSEMBLÉ SUIVANT LES INSTRUCTIONS DE CÔTES D'AIGLE ET TRAÎNÉ ALTERNATIVEMENT PAR SMITH ET JACKSON, LE TRAVOIS PERMIT DE RAMENER LE BLESSÉ SANS AUTRE DOMMAGE.

C'EST AU RELAIS QUE LES MAUVAISES SURPRISES ATTENDAIENT LE TRIO...
QUOI !?!!!

PARTIE!?? MAIS... DE SON PLEIN GRÉ??
TU SAIS... CASTELLANE N'A RIEN D'UN KIDNAPPEUR... C'EST VRAI QU'SA FEMME A PAS MAL INSISTÉ, MAIS... NOÉMIE A PAS FAIT BEAUCOUP D'DIFFICULTÉS POUR S'LAISSER CONVAINCRE!

BON DIEU, C'EST PAS VRAI!? ELLE M'AURAIT... ABANDONNÉ?
BOUGRE D'ABRUTI! C'EST JUSTE UN MOYEN D'T'ATTIRER LÀ-BAS! ELLE A DÛ PENSER - ET C'PETIT MALIN D'FRENCHIE AUSSI! - QU'TU S'RAIS TROP INQUIET POUR PAS LA R'JOINDRE...

ELLE A EU TORT?

PAS B'SOIN D'CREVER NOS BÊTES! MÊME AU P'TIT TROT, ON AURA VITE RATTRAPÉ NOT' RETARD! MAIS... DIS-MOI...
OUI?
LE JOURNAL DE C' BUTLER ...TU L'AS LU?
NON.
ALORS COMMENT QU' T'ES SÛR D'ÊT' DANS LA BONNE DIRECTION SANS AVOIR COLLÉ UNE SEULE FOIS L' NEZ AU SOL ?
LA CABANE... C'EST LÀ QUE SE TROUVENT LES DERNIERS VESTIGES DE L'EXPÉDITION. CASTELLANE LA CHOISIRA FATALEMENT COMME POINT DE DÉPART ...
DE TOUTE FAÇON, PAS BESOIN DE LOUPE POUR SUIVRE LEUR PISTE! ILS LAISSENT AUTANT DE TRACES QUE L'ARMÉE DE SHERMAN!
SÛR! HEUREUSEMENT QUE...
HEY !??
D'AUT' CHEVAUX!? AU MOINS DEUX OU TROIS!
!!
44

QUATRE, DÉCIDÉMENT, ÇA SE BOUSCULE, SUR CETTE PISTE!
TU CROIS PAS SI BIEN DIRE...

TEQUILA!?! ÇA ALORS!? IL EST PLUS D'MIDI ET TU TIENS ENCORE SUR TA SELLE!??
HEEEY!! HOPPER! ALORS, GRATTE-SABLE? TOI AUSSI, TU LAISSES TOMBER PURPLE CREEK?

OUAIS... J'EN SUIS PARTI LA TÊTE PLUS HAUTE QUE TOI, MAIS LES POCHES AUSSI VIDES... Y A PLUS UNE ONCE D'OR, DANS C'TE FICHUE RIVIÈRE!

HÉÉ!? MAIS VOUS AUSSI, VOUS ÉTIEZ V'NU NOUS REND' VISITE, NON? HI!... C'EST QUAND MÊM' MARRANT! ON DIRAIT QU' TOUT L' CREEK S'EST DONNÉ RENDEZ-VOUS SUR C'TE PISTE!
TOUT LE CREEK?
?!

BEN OUI! EN KÈK Z'HEURES, J'AI VU PASSER L'FRENCHIE ET SA CLIQUE, LES FRÈRES BENSON, ET MAINT'NANT, VOUS D...
QUOI!?? LES BENSON!?!
HANG IT!! LES TRACES...

MANQUAIT PLUS QUE ÇA!
CETTE FOIS VIEUX CRABE, PLUS QUESTION DE PETIT TROT!
À VOT' PLACE, J'FILERAIS DANS LA DIRECTION OPPOSÉE... PAR LÀ-BAS, ÇA GROUILLE DE BLACKFEET ENRAGÉS!

J'EN AI CROISÉ AU MOINS UNE QUARANTAINE! J'AI PU M'CACHER PARCE QUE J'ÉTAIS SEUL ET À PIED, MAIS AVEC TOUT' LES TRACES QU'VOUS FAITES, ENTRE L'FROGGY, LES BENSON ET VOUS, Y METTRONT PAS LONGTEMPS À VOUS TOMBER SUR L' PALETOT!

BLAST! IL NE NOUS RESTE PLUS BEAUCOUP DE TEMPS POUR RAMENER CES ÉCERVELÉS À LA RAISON!
...ET AU BERCAIL! ALLEZ! SALUT, HOPPER! ET SI TU TROUVES KÉK PÉPITES EN CHEMIN, GARDE-M'EN DEUX OU TROIS!
À QUOI ELLES T'SERVIRONT, QUAND TU S'RAS TRANSFORMÉ EN PELOTE D'ÉPINGLES? GOOD LUCK, CHUCKLEHEAD!
45

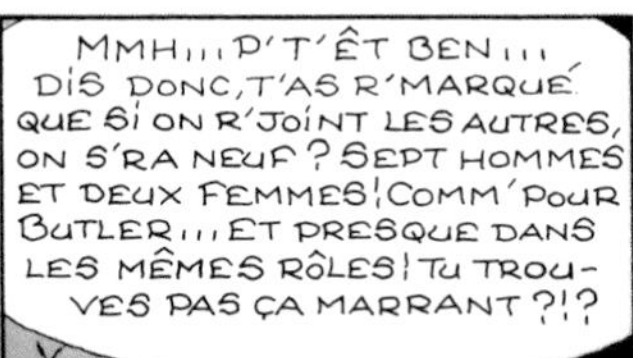

Texte : Frank Giroud
Dessins : Marc-Renier
MAI 1991

Fin

Prochain Episode :
"Les Monts du Hasard"